NONFICTION Phonics Readers

This *My Little Workbook* belongs to

_____

- - - - - - - - - - - - - - - - - -

_____

your name

Scholastic Inc. grants teachers permission to photocopy the reproducible pages from this book for classroom use. No other part of this publication may be reproduced in whole or in part, or stored in a retrieval system, or transmitted in any form or by any means, electronic, mechanical, photocopying, recording, or otherwise without written permission of the publisher. For information regarding permission, write to Scholastic Inc., 557 Broadway, New York, NY 10012.

Written by Liza Charlesworth
Design by Cynthia Ng
Box photos © Getty Images and Shutterstock.com. Photos © Getty Images.

ISBN 978-1-339-02704-3

Scholastic Inc., 557 Broadway, New York, NY 10012
Copyright © 2023 by Liza Charlesworth
All rights reserved. Printed in the Jiaxing, China.
First printing, August 2023.
PO#5134368

3 4 5 6 7 8 9 10 68   32 31 30 29 28 27 26 25 24 23

Contents

Dear Learner:

This *My Little Workbook* is here to give you extra practice with short vowels, blends, and more. Turn to it each time you complete a book in your *Nonfiction Phonics Readers* set. Filling in the prompts and doing the activities will help you become a super-strong reader, writer, and speller.

Happy Learning,
Your Friends at Scholastic

Complete the sentence.

A cat can _____.

something a cat can do

Say each word then find it in the puzzle.

    am cat pal has can lap bag nap hat mat

u c a t d e n a p x h a t o q

y e z a m o p i y l a p w z j

i r b a g u x h a s h g s c z

w o m c a n p u m a t o p a l

Complete the sentence.

A hen can _____.

something a hen can do

Say each word then find it in the puzzle.

red hen pen ten let get fed bed peck eggs

```
u t e n d z h e n a t u p q s
c p e c k p o f e d x l e t u
i t z b g e t v h a b e d t o
r e d q e g g s w u p e n x a
```

Complete the sentence.

A pig can _____.

something a pig can do

Say each word then find it in the puzzle.

in pig sit zip dig kids ick six big pit

i n e d b i g z v u k s i x j
a c z i p k d i g a x i c k m
s i t b g p i t h u t a z o c
r w k i d s a g s q p i g e p

Complete the sentence.

A dog can _____.

something a dog can do

Say each word then find it in the puzzle.

dog lot top hop log jog mom hot pop box

d o g b a p o p r e q k m o m
r h o t p i j o g e t o p z m
s i h o p e b o x q b w a v z
r k a l o g u s o q n i l o t

Complete the sentence.

A bug can _____.

something a bug can do

Say each word then find it in the puzzle.

(fun bugs run sun mud tug cup bud buzz pup)

```
d o p u p x o b u g s q k m o
r f u n p v r u n e t o t u g
s i b u z z w a q m u d w e z
p k a b u d u c u p i s u n m
```

Complete the sentence.

An animal that hops is _____
a/an

_____.
animal that hops

Say each word then find it in the puzzle.

bugs cats legs bats rams dogs kids frogs pigs hen

h e n s x o b u k i d s z o x
d f r o g s a v d o g s g i y
r a m s z b a t s u m b u g s
l e g s i c a t s e r p i g s

Complete the sentence.

In snow, kids can _____.

something kids can do in the snow

Say each word then find it in the puzzle.

blab blocks clap flop flap glad plop sled slip slam

f l o p x o g l a d s p l o p
r v f l a p r i s l e d a m g
s l a m z b l a b n o s l i p
b l o c k s o z s c l a p u n

Complete the sentence.

A frog can _____.

something a frog can do

Say each word then find it in the puzzle.

frogs from brick drip drop grin grip grab trip trick

```
f  r  o  m  x  e  d  r  i  p  a  g  r  a  b
e  w  t  r  i  c  k  s  r  l  v  g  r  i  n
g  r  i  p  z  m  t  r  i  p  u  d  r  o  p
f  r  o  g  s  z  a  k  b  r  i  c  k  o  q
```

Kids With Skills
By Liza Charlesworth

Complete the sentence.

My skill is: _____.

a special skill you have

Say each word then find it in the puzzle.

(scan scab score skill skip skin skate sky mask task)

s k y e x v s k i n a s c a n
m a s k i s k i p o q t a s k
z s c a b t e s k i l l r a q
s k a t e w u v b s c o r e x

Complete the sentence.

I like to smell _____.

something you like to smell

Say each word then find it in the puzzle.

(smell smog smock smug sniff snip snack skunk snap)

```
a q s m o c k s m s m e l l a
s m o g i s m i f b e s m u g
s n i p b s n a p e s n i f f
o m s n a c k u b s k u n k b
```

Complete the sentence.

An animal with spots is _____
a/an

_____.
animal with spots

Say each word then find it in the puzzle.

spots spin step stem stick stop still stand fast best

```
a  s  t  a  n  d  k  o  s  t  i  c  k  l  s
s  t  e  p  i  s  t  o  p  v  e  f  a  s  t
x  i  s  s  p  o  t  s  p  s  t  e  m  a  f
s  p  i  n  a  s  t  i  l  l  k  b  e  s  t
```

Twins Are Swell

Complete the sentence.

I like _____ twins.

animal

Say each word then find it in the puzzle.

swell swim swig switch swept twins twig twist

```
a s w e l l k i t w i s w i m
y s w i g s n i s w e p t u g
u n i s w i t c h e t w i g x
t w i n s c k u t w i s t k b
```

Complete the sentence.

An ant can _____.

something an ant can do

Say each word then find it in the puzzle.

(hand sand land band stand grand ant plant rant pant)

```
p  l  a  n  t  e  w  s  t  a  n  d  i  m  k
v  h  a  n  d  i  l  a  n  d  e  r  a  n  t
a  n  t  x  w  p  a  n  t  e  t  s  a  n  d
t  b  a  n  d  c  g  r  a  n  d  s  t  k  b
```

Complete the sentence.

When you camp, it's fun to

_____.

camping activity

Say each word then find it in the puzzle.

(camp belt soft tent jump past plants nest raft skunk)

```
x s k u n k e w p l a n t s m
t e n t d i b e l t u r a f t
a p a s t p a n t e t j u m p
c a m p d s o f t z d n e s t
```

Complete the sentence.

A duck can _____.

something ducks can do

Say each word then find it in the puzzle.

(**quack quick quit quiz ducks back neck rocks kick flock**)

```
x  d  u  c  k  s  e  w  f  l  o  c  k  e  m
q  u  a  c  k  i  b  a  c  k  m  q  u  i  z
a  q  u  i  c  k  a  n  r  o  c  k  s  m  i
k  i  c  k  d  q  u  i  t  n  d  n  e  c  k
```

Fix The Mess
By Lara Chworowsky

Complete the sentence.

I can fix a mess by

_____.

way to help clean up

Say each word then find it in the puzzle.

huff puff off stuff fill will spills yell mess less

q u s t u f f b a s p i l l s
d w i l l s v h u f f s y i z
p u f f z a y e l l u f i l l
l e s s i x o f f s e m e s s

Complete the sentence.

I am glad when _____.

something that makes you glad

Say each word then find it in the puzzle <u>two times</u>.

> **be   he   she   we   me   hi   go   no   so**

b e c s h e p s o i w e v h i
w e v s o a h e u m e x j a z
n o a s h e a h i z m e p g o
e z a g o z h e s n o r b e w

Complete the sentence.

A vet can _____.

something that a vet can do

Make the underlined words possessive by adding 's.

1. the vet's job

2. the kid___ pup

3. the dog___ leg

4. the hen___ pen

5. the cat___ mat

6. the pig___ pen

7. the man___ hand

8. the tot___ hat

Who Am I?
By Lori Chamberlain

Complete the sentences.

I'm _____ and _____!
_{animal clue}   _{animal clue}

Who am I? I'm a _____.
_{answer}

Turn the words into contractions.

1. I am = __I'm__

2. is it = __it's__

3. is it = _____

4. I am = _____

5. it is = _____

6. I am = _____

7. it is = _____

8. I am = _____

Complete the sentence.

Yesterday, I _____.

activity (past tense with -ed)

Make each word past tense by adding -ed.

1. fix → _fixed_

2. jump → _____

3. help → _____

4. sniff → _____

5. dress → _____

6. pack → _____

7. huff → _____

8. puff → _____

Complete the sentence.

A crab can _____.

something a crab can do

Choose the right word to complete each sentence.

legs eggs fast crack krill

1. A crab has ten _____.

2. A crab gulps plants and _____.

3. A crab can slip in a _____.

4. A crab can run _____.

5. A crab lays lots of _____.

Complete the sentence.

A bat can _____.

something a bat can do

Choose the right word to complete each sentence.

hands pest black rest click plants

1. A bat has legs and _____.

2. Bats can be tan or _____.

3. Bats say, "_____, _____!"

4. In the day, bats get _____.

5. A bat is not a _____.

The Fox Kits

Complete the sentence.

Fox kits can _____.

something a fox kit can do

Choose the right word to complete each sentence.

kits nap pond den red

1. The mom fox is _____.

2. She has a set of fox _____.

3. The kits will not rest in the _____.

4. The kits get sips from a _____.

5. At last, the fox kits _____.

Complete the sentence.

Trucks can _____.

something a truck can do

Choose the right word to complete each sentence.

honk   help   yum   lot   pit

1. Trucks can do a _____.

2. A truck says, "_____, _____!"

3. Trucks drop rocks in a _____.

4. Trucks can be a big _____.

5. A truck can make kids say, "_____!"

Complete the sentence.

A nest is home for _____.

animals that lives in a nest/plural

Choose the right word to complete each sentence.

buzz   rest   grass   swim   sand

1. A nest can be made of bits of _____.

2. A nest is a spot to _____.

3. Bugs in a nest say, "_____, _____!"

4. Ducks can hop in a pond and _____.

5. A croc's nest is in the _____.

Answer Key

Page 5 / A Cat Pal

```
u c a t d e n a p x h a t o q
y e z a m o p i y l a p w z j
i r b a g u x h a s h g s c z
w o m c a n p u m a t o p a l
```

Page 6 / The Red Hen

```
u t e n d z h e n a t u p q s
c p e c k p o f e d x l e t u
i t z b g e t v h a b e d t o
r e d q e g g s w u p e n x a
```

Page 7 / It Is a Pig

```
i n e d b i g z v u k s i x j
a c z i p k d i g a x i c k m
s i t b g p i t h u t a z o e
r w k i d s a g s q p i g e p
```

Page 8 / A Big Dog

```
d o g b a p o p r e q k m o m
r h o t p i j o g e t o p z m
s i h o p e b o x q b w a v z
r k a l o g u s o q n i l o t
```

Page 9 / Fun Bugs

```
d o p u p x o b u g s q k m o
r f u n p v r u n e t o t u g
s i b u z z w a q n u d w e z
p k a b u d u c u p i s u n m
```

Page 10 / Can Bugs Hop?

```
h e n s x o b u k i d s z o x
d f r o g s a v d o g s g i y
r a m s z b a t s u m b u g s
l e g s i c a t s e r p i g s
```

Page 11 / Slip and Sled

```
f l o p x o g l a d s p l o p
r v f l a p r i s l e d a m g
s l a m z b l a b n o s l i p
b l o c k s o z s c l a p u n
```

Page 12 / Frog Tricks

```
f r o m x e d r i p a g r a b
e w t r i c k s r l v g r i n
g r i p z m t r i p u d r o p
f r o g s z a k b r i c k o q
```

Page 13 / Kids With Skills

```
s k y e x v s k i n a s c a n
m a s k i s k i p o q t a s k
z s c a b t e s k i l l r a q
s k a t e w u v b s c o r e x
```

Page 14 / Sniff and Smell

```
a q s m o c k s m s m e l l a
s m o g i s m i f b e s m u g
s n i p b s n a p e s n i f f
o m s n a c k u b s k u n k b
```

Page 15 / Lots of Spots

```
a s t a n d k o s t i c k l a
s t e p i s t o p v e f a s t
x i s s p o t s p s t e m a f
s p i n a s t i l l k b e s t
```

Page 16 / Twins Are Swell

```
a s w e l l k i t w i s w i m
y s w i g s n i s w e p t u g
u n i s w i t c h e t w i g x
t w i n s c k u t w i s t k b
```

Page 17 / Ants and Ants

```
p l a n t e w s t a n d i m y
v h a n d i l a n d e r a n t
a n t x w p a n t e t s a n d
t b a n d c g r a n d s t k b
```

Page 18 / It Is Fun to Camp

```
x s k u n k e w p l a n t s m
t e n t d i b e l t u r a f t
a p a s t p a n t e t j u m p
c a m p d s o f t z d n e s t
```

SET 1 · Nonfiction Phonics Readers: Short Vowels, Blends & More © Scholastic Inc. · page 30

CONGRATULATIONS!

_____
your name

You have read 25 books
and completed
this workbook.

That makes you a **PHONICS STAR!**